¡Migo es muy fuerte!
Me ha salvado la vida cientos de veces.

Este libro pertenece a:

. . . .

Segunda edición: marzo 2009

Traducción: Agustín Gervás

Título original: *Blackie*

Publicado por primera vez en Bélgica
por la editorial Clavis, Amsterdam-Hasselt, 2001.

© Texto e ilustraciones: Editorial Clavis, Amsterdam-Hasselt, 2001
© De esta edición: Editorial Luis Vives, 2008
Carretera de Madrid, km 315,700
50012 Zaragoza
Teléfono: 913 344 883
ISBN: 978-84-263-6724-2

Guido van Genechten

conMigo

EDELVIVES

Vivo con Papá y Mamá en una casa grande llena de cosas.
Y con *Zapi*, que es nuestro gato.
Mamá y Papá son estupendos,
pero siempre están trabajando.
Papá dice que para ganar dinero.
Tengo un armario lleno de peluches y juguetes,
y un castillo y un robot. Pero no tengo con quién jugar.

¡Y, ENTONCES, DESCUBRO A MIGO!

Con Migo paso todo el día jugando
y nos divertimos muchísimo.

¡MIGO ES MI MEJOR AMIGO!

Le puedo contar todo.
Siempre me escucha
con interés.

Migo nunca se tiene que marchar
a trabajar. Puedo estar con Migo
todo el tiempo que quiero.

Cuando me duele algo, me coge en brazos
y me cuida hasta que se me pasa.

MIGO ES
MUY AMOROSO
Y MUY BLANDITO.

Cuando estoy entretenido
con algo que me divierte,
no lo echo de menos.

Pero cuando de verdad lo necesito,
llamo a Migo y viene enseguida.

En un momento echa a los monstruos
horribles. Y me dice bajito: «Duerme
bien, esta noche me quedo contigo».

Y es invisible.
Sólo yo puedo ver a Migo.

Con Migo me siento mimado y protegido.

¡MIGO ESTÁ SIEMPRE CONMIGO!